ASTROLOGIE
CHINOISE

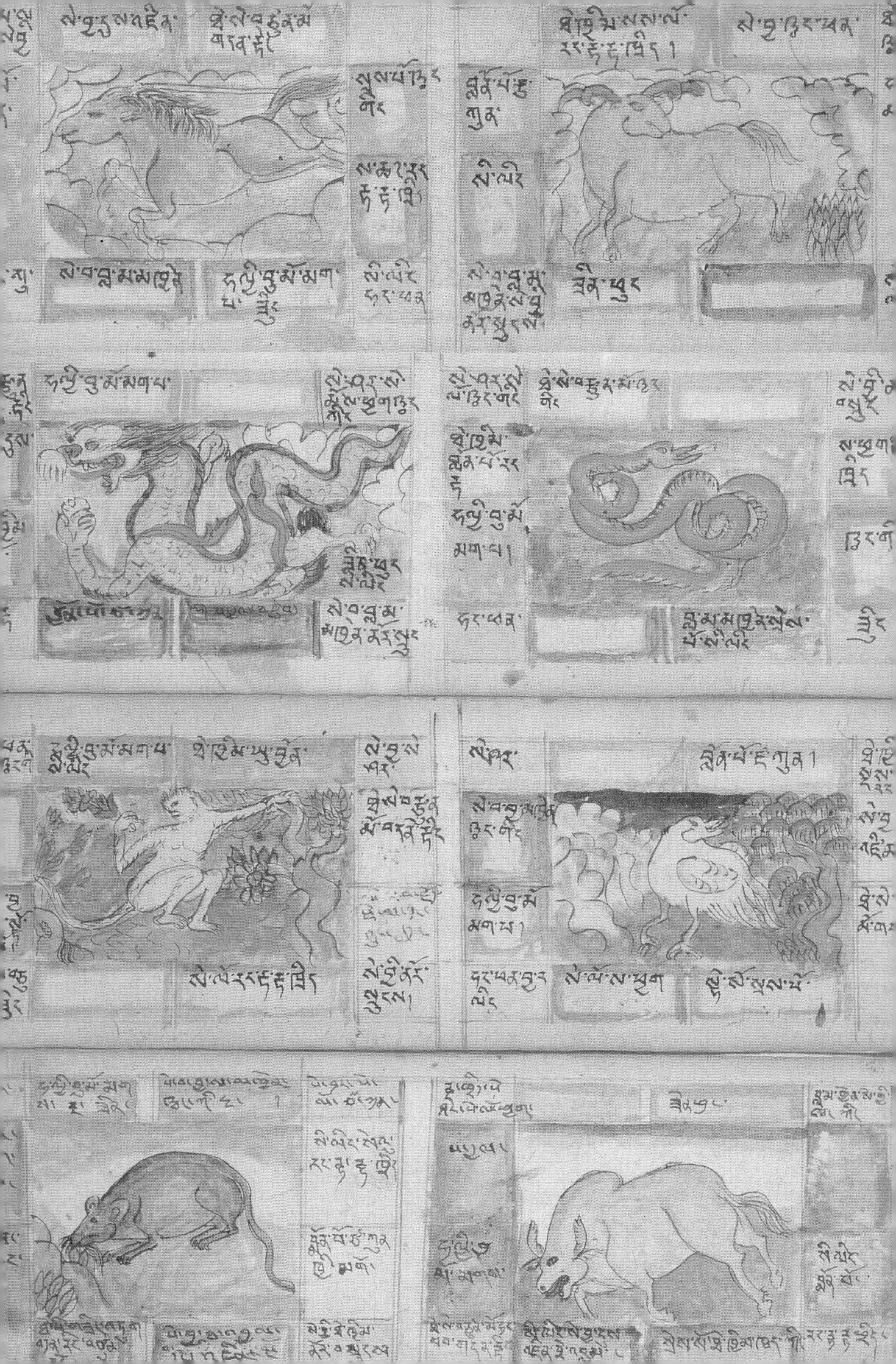

དཀྱི་བུ་མོ་མག་པ
དར་ཡར
བླུན་པོ་རྡོ་ཀུན།

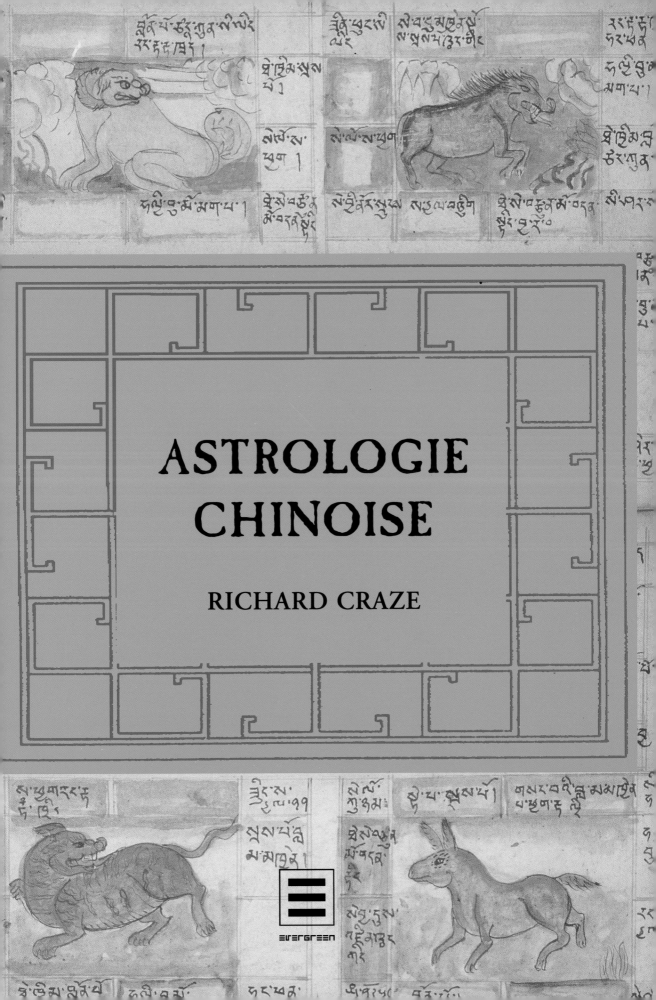

ASTROLOGIE CHINOISE

RICHARD CRAZE

Pages 2-3 : ancien manuscrit tibétain du XVIIIᵉ siècle présentant les douze
animaux de l'astrologie chinoise

EVERGREEN is an imprint of Benedikt Taschen Verlag GmbH

© pour cette édition : 1999 Benedikt Taschen Verlag GmbH
Hohenzollernring 53, D-50672 Köln

*Chinese Astrology. Mix & Match. A unique flip guide to help you discover
compatibility in romance, friendship, family, and work.*
© 1999 Quarto Publishing plc
6 Blundell Street, London N7 9BH

Traduction : Delphine Nègre pour Libris, Seyssinet
Rédaction et réalisation de l'édition française : Libris/Imagis, Seyssinet

Printed in China
ISBN 3-8228-0799-0

SOMMAIRE

Les signes chinois 16

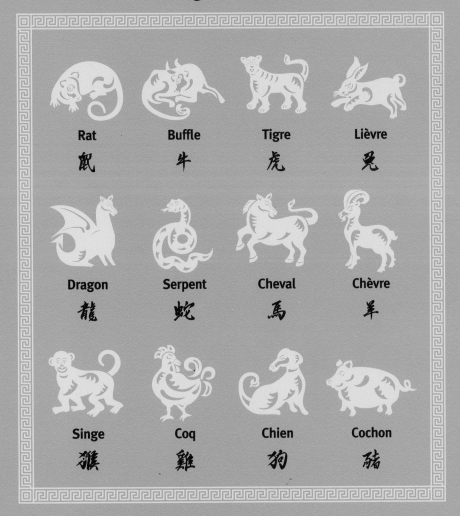

Rat 鼠

Buffle 牛

Tigre 虎

Lièvre 兔

Dragon 龍

Serpent 蛇

Cheval 馬

Chèvre 羊

Singe 猴

Coq 雞

Chien 狗

Cochon 豬

INTRODUCTION

D'après la légende, Bouddha, ayant obtenu l'illumination, invita tous les animaux du monde à célébrer l'événement. Seuls douze des invités se présentèrent et Bouddha leur attribua à chacun une année de règne. Il s'agit des douze animaux que nous connaissons comme les animaux de l'astrologie chinoise.

CI-DESSUS : *autrefois, l'astrologie avait tellement d'ascendant en Chine que l'empereur dut publier un décret pour en interdire la pratique à tous ses sujets, sauf lui. Il fit brûler tous les livres d'astrologie et exécuter quiconque était surpris en train de la pratiquer.*

CI-CONTRE : *d'après la légende, Bouddha aurait attribué à chacun des douze animaux de l'astrologie chinoise une année de règne. Chaque animal possède des caractéristiques propres, qui représentent le type de personne née cette année-là.*

La légende serait intéressante, eut-elle été véridique. Or, les douze animaux étaient utilisés déjà bien longtemps avant l'apparition de Bouddha. En outre, ils ne sont pas limités à l'astrologie chinoise, apparaissant au Tibet, en Indonésie, en Malaisie et autres pays asiatiques. Chaque animal, avec ses qualités et caractéristiques propres, représente un type de personne. Celui qui fut le premier à choisir ces douze animaux devait avoir un grand sens de la psychologie, car ces animaux symbolisent très précisément les différents types de personnalités.

Mais, me direz-vous, comment peut-il n'y avoir que douze types de personnes ? Pour répondre, il nous faut rejeter un autre mythe de l'astrologie chinoise. Il n'y a pas que douze signes. À l'origine, il y avait vingt-huit animaux, un pour chaque jour du mois. De nos jours, bien que nous ne travaillions qu'avec douze animaux, d'autres facteurs sont pris en compte. Chaque personne est faite d'une combinaison de trois animaux : un pour l'année de naissance, un pour le mois de naissance et un pour l'heure de naissance. De plus, chaque animal décline

Caractéristiques des animaux

Les principaux traits de caractère des douze animaux chinois

RAT

ingénieux, ambitieux, travailleur, décidé, industrieux, perspicace

BUFFLE

patient, courageux, conventionnel, fiable, résolu, intelligent

TIGRE

audacieux, dominateur, passionné, irréfléchi, dangereux, amusant

LIÈVRE

généreux, intuitif, tactile, égocentrique, discret, sensible

DRAGON

enthousiaste, audacieux, encourageant, voué au succès, matérialiste, indépendant

SERPENT

intelligent, mystérieux, intuitif, audacieux, ordonné, sophistiqué

CHEVAL

loyal, travailleur, sociable, amical, fougueux, apprécié

CHÈVRE

paisible, docile, honnête, créative, imaginative, sincère

SINGE

indépendant, vif, spirituel, amusant, intrépide, inventif

COQ

courageux, protecteur, flamboyant, capable, communicatif, honnête

CHIEN

loyal, responsable, sensible, moral, fiable, imaginatif

COCHON

sensuel, généreux, gai, tolérant, chanceux, passionné

cinq variantes, fondées sur les cinq éléments qui dominent l'année de naissance. Nous en apprendrons plus à ce sujet ultérieurement, mais globalement, le zodiaque chinois est basé sur 12 animaux « année » x 12 animaux « mois » x 12 animaux « heure » x les 5 éléments. En multipliant ces chiffres, on obtient 8 640 combinaisons possibles.

L'astrologie chinoise est donc très complexe. Nous l'avons simplifiée dans cet ouvrage de façon à ce que vous l'assimiliez et l'utilisiez rapidement. Chaque animal est très différent des autres et présente certains traits de personnalité dominants. Vous pourrez utiliser le guide de compatibilité au bas de chaque page pour vérifier vos affinités avec votre partenaire, vos collègues, vos amis et votre famille. En fin d'ouvrage, vous trouverez également quelques prévisions qui vous donneront une idée de ce que vous réserve l'avenir.

Le guide de compatibilité et les prévisions ont un but purement ludique et ne sauraient être pris trop au sérieux. Sans votre heure, jour et année de naissance exacts, aucun astrologue chinois ne peut envisager de prévoir votre avenir ou déterminer votre compatibilité avec un autre individu. Cet ouvrage n'a donc pas la prétention de vous donner autre chose qu'un aperçu général.

Comment utiliser ce livre

Les pages de ce livre sont coupées en deux. Lisez la partie supérieure pour en savoir plus sur votre animal chinois, puis feuilletez la partie inférieure pour découvrir comment les douze animaux se rapportent à vous en tant qu'amis, parents, collègues et partenaires. À l'intersection des deux parties, vous trouverez une barre de compatibilité portant les symboles suivants :

Légendes des symboles

AMITIÉ

Sont les meilleurs amis du monde

Souvent bons amis, mais pas toujours

S'entendent rarement

FAMILLE

Vivront harmonieusement ensemble

Des concessions sont à envisager

Il y a souvent des frictions entre eux

AFFAIRES

Excellente collaboration

Collaboration possible

Collaboration absente ou mauvaise

AMOUR

Connaîtront le grand amour

Souvent de bonnes chances de succès

Combinaison à éviter

1 Tout d'abord, cherchez votre date de naissance sur le tableau des pages 122 à 127 pour trouver votre signe animal. Le tableau donne également l'élément dominant et l'aspect yin ou yang de chaque année.

2 Trouvez votre signe animal dans la partie supérieure des pages. Vous y découvrirez vos traits caractéristiques, plus une description détaillée de votre personnalité, notamment ce qui vous distingue en tant qu'ami ou partenaire, au travail ou dans vos loisirs.

3 La partie inférieure des pages traite de la compatibilité de chaque animal avec tous les autres, en amitié, amour, famille et affaires.

4 Feuilletez les pages inférieures pour faire concorder les symboles des autres animaux avec le vôtre sur la barre de compatibilité.

L'astrologie chinoise en détail

L'astrologie chinoise est très ancienne. Des inscriptions découvertes dans des sites archéologiques font remonter l'utilisation de l'astrologie à au moins 5 000 ans en Chine, dans une forme similaire à celle utilisée aujourd'hui. Jadis, l'astrologie était considérée comme tellement influente en Chine que l'empereur fit publier un ordre interdisant à tous ses sujets de l'utiliser. Lui seul était autorisé à consulter un astrologue.

Quiconque était pris en flagrant délit de pratique astrologique était condamné à mort. L'empereur croyait tant en l'astrologie qu'il s'imaginait que quiconque l'utilisait pouvait comploter contre lui. Aujourd'hui, dans la Chine moderne comme dans les autres pays d'Asie, l'astrologie se pratique librement et ouvertement. Les Asiatiques, en effet, consultent systématiquement leur astrologue au moindre événement.

Nous avons vu quels étaient les différents animaux et leurs caractéristiques dominantes. Toutefois, vous n'êtes jamais un seul animal. L'astrologie chinoise établit que chaque personne procède d'une combinaison de trois animaux : l'animal de l'année de naissance (l'animal « année »), l'animal du mois de naissance (l'animal lunaire) et l'animal de l'heure de naissance (l'animal horaire).

Le calendrier chinois se fonde sur les phases de la lune. Ces astrologues utilisent un gnomon pour calculer la phase lunaire.

Animaux lunaires

L'animal lunaire correspond à votre personnalité dans vos relations avec les autres. Imaginons que l'animal de votre année de naissance soit le tigre – tout action et aventure – et que votre animal lunaire soit le lièvre. En apparence, vous pouvez être fort et courageux (les attributs du tigre), mais le lièvre lunaire indique que dans vos relations, vous êtes beaucoup plus calme, sensible et intuitif (les attributs du lièvre). Une fois l'animal lunaire de votre partenaire connu, vous pourrez en tenir compte et avoir une perception très aiguë de vos relations amoureuses.

La pendule, inventée en Chine, calculait le moment exact de la conception des fils du roi. Celui qui avait le meilleur horoscope devenait le prochain empereur.

Cherchez votre mois dans ce tableau pour déterminer votre animal lunaire – cet animal correspond à votre personnalité relationnelle. Cherchez l'heure de votre naissance pour découvrir votre animal horaire, ou votre vraie nature.

rat — Décembre — 23h–1h
buffle — Janvier — 1h–3h
tigre — Février — 3h–5h
lièvre — Mars — 5h–7h
dragon — Avril — 7h–9h
serpent — Mai — 9h–11h
cheval — Juin — 11h–13h
chèvre — Juillet — 13h–15h
singe — Août — 15h–17h
coq — Septembre — 17h–19h
chien — Octobre — 19h–21h
cochon — Novembre — 21h–23h

Animaux horaires

Ensuite, il vous faut connaître l'animal de votre heure de naissance. Le jour, en astrologie chinoise, est divisé en douze sections de deux heures, et chaque section est dominée par un animal particulier. Cet animal correspond à votre véritable nature, à votre personnalité intérieure. Imaginons que vous êtes de l'année du tigre, du mois du lièvre et de l'heure du serpent. La façade que vous montrez au monde est forte et aventureuse, votre personnalité relationnelle est sensible et intuitive mais votre véritable nature est mystérieuse et profonde (les attributs du serpent), à l'opposé de ce que vous attendriez d'un tigre.

Aspects dominants

Le Yin et le Yang, les directions et la saison

Chaque animal est yin ou yang+, ou yin ou yang-. Cherchez votre animal sur le tableau pour savoir quel aspect régit votre signe, puis lisez ses qualités page 13. Chaque animal est soumis à une direction, qui détermine la meilleure saison de l'animal.

Le yin et le yang

L'aspect yin correspond à votre personnalité extérieure et l'aspect yang à votre nature intérieure. Le yin et le yang sont indissociables ; le symbole yin/yang a toujours un petit point de yin sombre dans le yang clair, et un petit point de yang clair dans le yin sombre. Entre le yin et le yang, il y a toujours un flux constant d'énergie, le ch'i. Cette énergie est universelle et omniprésente ; elle nous est bénéfique et nous avons tous besoin d'un ch'i favorable pour être heureux et en bonne santé. Le ch'i apporte chance et vitalité. Si nous bloquons le ch'i, ou l'empêchons de circuler librement, il stagnera et s'affaiblira.

QUALITÉS YANG

sociable, optimiste, pragmatique, matérialiste, passionné, assuré, conservateur, en bonne santé, égocentrique, susceptible, émotionnellement instable, méfiant, actif, prenant les choses au sérieux, enclin à la jalousie

Le ch'i nous atteint différemment selon la direction dont il provient. Par exemple, le ch'i du sud est vif et revigorant, c'est un ch'i très yang. Le ch'i du nord est lent et nourrissant, c'est un ch'i très yin. Certains signes animaux bénéficient de directions particulières. Par exemple, le nord convient au cochon, au rat et au buffle, et ces animaux, dans l'idéal, devraient vivre dans des maisons orientées au nord. En outre, chaque animal a également une saison privilégiée, fondée sur sa direction idéale.

Chaque animal est soit yin soit yang : yang s'il est extraverti et actif, yin s'il est introverti et sensible. Les animaux sont aussi répartis en yang+ et yang-, yin+ et yin-. Les animaux yang et yin+ sont beaucoup plus yang ou yin que les autres. Les yang et yin- sont plus nuancés, mais quand même majoritairement yang ou yin.

De plus, chaque année a une dominante yang ou yin. Les années yang sont bénéfiques aux affaires, à la rencontre de nouvelles personnes, à la sociabilité et à l'énergie. Les années yin sont plus favorables à l'étude, aux affaires domestiques et à l'introversion. Les années paires sont yang et les années impaires yin.

QUALITÉS YIN

intelligent, indépendant, introspectif, altruiste, solitaire, spirituel, non matérialiste, introverti, rebelle, libéral, réfléchi, prévenant, émotionnellement stable, peu robuste, opinions durables

terre   métal   eau   bois   feu

地 鉄 水 末 火

Les cinq éléments

À présent que nous avons brièvement abordé les animaux, ainsi que le yin et le yang, il nous faut examiner les effets des cinq éléments – la terre, le métal, l'eau, le bois et le feu – pour nous comprendre nous-mêmes.

L'astrologie chinoise stipule que tout, dans l'univers, résulte d'une combinaison de cinq éléments, chaque chose étant dominée par l'un de ces éléments. De même, chacun des douze animaux est principalement régi par un des éléments : le cheval est un animal de feu, alors que le buffle est un animal d'eau. Il s'agit de l'élément naturel de l'animal. Il n'y a pas d'animaux de terre, car chaque élément se base sur un point cardinal, la terre occupant le centre.

Toutefois, si chaque animal a son propre élément naturel, il en va de même avec les années. Imaginons que vous êtes né en 1960. C'est l'année du rat et du métal ; vous êtes donc un rat de métal. Ainsi, chaque animal a cinq types particuliers, selon l'année de naissance. Certaines seront en symbiose avec l'élément naturel de l'animal, et d'autres en opposition. Par exemple, l'eau étant aidée par le métal – imaginez un seau métallique portant de l'eau –, 1960 ne sera pas une mauvaise année pour le rat. Mais imaginons un rat né en 1996, l'année du feu. Le rat de feu devra beaucoup travailler afin de garder son niveau d'énergie suffisamment bas pour que le feu ne fasse pas bouillir l'eau de l'animal.

Les éléments relatifs aux années seront toujours les éléments dominants : il vous faudra consulter le cycle de symbiose et celui des forces contraires pour découvrir si les deux éléments – celui de votre animal et celui de votre année – agissent pour ou contre vous.

Cycle de symbiose

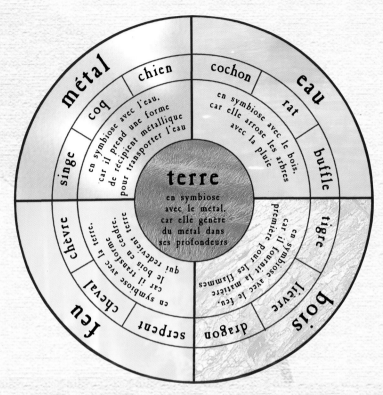

métal

chien
coq
singe

en symbiose avec l'eau, car il prend une forme de récipient métallique pour transporter l'eau

eau

cochon
rat
buffle

en symbiose avec le bois, car elle arrose les arbres avec la pluie

terre

en symbiose avec le métal, car elle génère du métal dans ses profondeurs

chèvre
cheval

en symbiose avec la terre, car il transforme le bois en cendre, qui redevient terre.

feu

serpent
dragon

en symbiose avec le feu, car il fournit la première matière pour les flammes

lièvre
tigre

bois

Chaque année est dominée par un élément, et chaque animal est aussi dominé par un élément. L'élément de votre année de naissance affectera l'élément de votre signe animal. Le cycle de symbiose montre quels sont les éléments compatibles. Le cycle des forces contraires montre quels sont les éléments incompatibles.

Cycle des forces contraires

e bois agit contre la rre, car les racines es arbres la brisent.

Le métal agit contre le bois, car les haches coupent les arbres.

Le feu agit contre le métal en le fondant.

L'eau agit contre le feu en l'éteignant.

La terre agit contre l'eau en la transformant en boue.

15

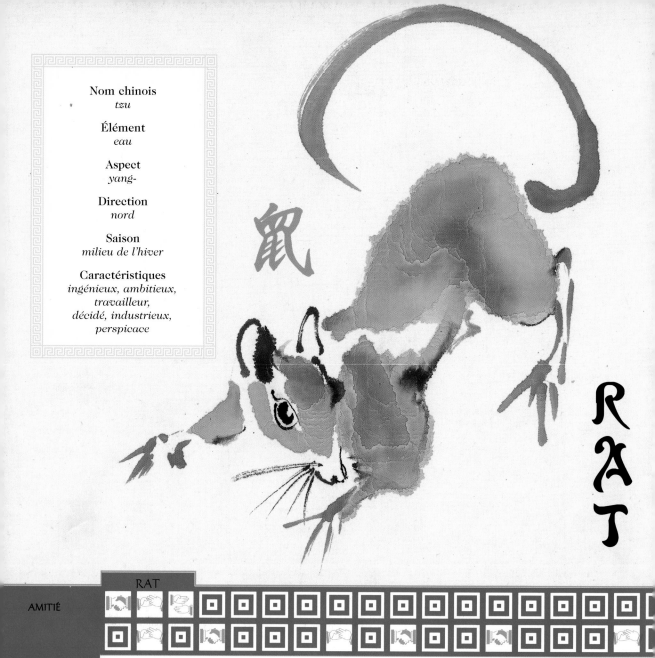

Nom chinois
tzu

Élément
eau

Aspect
yang-

Direction
nord

Saison
milieu de l'hiver

Caractéristiques
*ingénieux, ambitieux,
travailleur,
décidé, industrieux,
perspicace*

RAT

RAT

Rat

Amitié

Si vous vous liez d'amitié avec un rat, ne comptez pas trop sur lui pour vous aimer ou prendre soin de vous. Il voudra plutôt vous utiliser. L'ami d'un rat n'est là que pour le servir, mais si vous l'acceptez, vous trouverez dans le rat un véritable ami. Le rat aime être occupé, et si vous arrivez à suivre le rythme, il ne cessera de vous divertir. Le rat est un ami loyal, bien qu'enclin aux ragots. Cela n'a pas d'importance si vous n'avez rien à cacher, sinon, motus et bouche cousue !

Compatibilité

Le rat se liera volontiers d'amitié avec le buffle car celui-ci est facile à maîtriser ; avec le dragon car sa table est toujours bien garnie ; et avec le singe car ils forment à eux deux une formidable équipe. Le rat peut s'entendre avec le chien, le cochon, le lièvre et le serpent. Il ne manifestera cependant aucun intérêt envers les autres rats et le tigre, tous deux trop compétitifs.

Il montrera de l'animosité envers le cheval, capable de deviner instantanément la personnalité du rat. Quant à la chèvre et au coq, il y a trop de rat en eux pour que celui-ci puisse se détendre en leur compagnie.

Fiabilité

L'égocentrisme suprême du rat pourrait faire penser qu'il n'est pas un ami fiable. Or, c'est faux. Il l'est, à sa manière. Si vous décevez un rat, il ne sera plus votre ami. Mais si vous l'aidez et répondez à ses exigences, il vous le revaudra amplement. C'est un ami loyal qui ne médira pas des autres dans leur dos.

Vous êtes le plus grand romantique de la terre et considérez les relations amoureuses comme un moyen d'expression noble et beau.

Les cochons savent ce qu'ils veulent au lit, et comment l'obtenir. Vous êtes une créature chaleureuse, sensuelle, et adorez les caresses. Vous assimilez le sexe et le luxe, et aimez faire l'amour dans le plus grand confort. Les longues nuits à la belle étoile ne sont pas pour vous ! Un bon repas, une bonne bouteille, c'est tout ce que vous demandez ! Plus sérieusement, les cochons sont fidèles et énergiques, et pas complexés le moins du monde vis-à-vis de la sexualité. Pour vous, il n'y a rien de plus naturel.

comme le tigre. Il n'a pas grand-chose en commun avec le lièvre et le serpent. Mieux vaut qu'il trouve un chien pour lui tenir compagnie, car le chien fera tout pour plaire à son partenaire. Ou bien un cheval, qui partage les mêmes intérêts, ou une chèvre, qui le trouve extraordinairement séduisant. Les cochons devraient fuir les autres cochons : ils plongeraient ensemble dans les abîmes de la dépression.

Le cochon et ses partenaires

Rat	♡	Bon début, mais le rat finira par ignorer le cochon et tout ira mal.
Buffle	♥	Excellente relation : le buffle est le seul animal suffisamment patient pour s'entendre avec un cochon.
Tigre	♡	Le tigre séduit et dévore, et le pauvre cochon n'aura le temps de rien voir.
Lièvre	♡	Peu probable, sauf si le lièvre est particulièrement bizarre.
Dragon	♡	Curieusement, cela peut marcher. Mais le dragon rôtira accidentellement le cochon.
Serpent	♡	Non. Cela peut marcher sexuellement un temps, mais le serpent s'ennuiera vite.
Cheval	♥	Ils font de parfaits compagnons de lit et de cœur.
Chèvre	♥	Bonne entente, bien que le goût de la chèvre pour les expériences sexuelles puissent choquer le cochon.
Singe	♥	Ils sont tous deux aussi curieux, et s'entendent à merveille.
Coq	♥	Le coq est une fière créature qui ne se laisse approcher que du cochon.
Chien	♥	La compétition est inévitable.
Cochon	♡	Deux cochons ? Ils ne feront que s'apitoyer sur leur sort. Mauvais rapports amicaux.

Prévisions

Les pages suivantes examinent les quelques années à venir et indiquent ce qu'elles vous réservent. Divertissez-vous en les lisant, mais ne les prenez pas trop au sérieux. Sans l'heure, le jour et l'année exacts de votre naissance, aucun astrologue chinois ne pourrait envisager de prédire votre avenir. Il s'agit juste de vous donner une idée générale de ce qui peut vous attendre.

Chaque année à venir a son animal. Celui-ci domine le thème ou la tendance de l'année, et nous affecte tous différemment. Dans une année du buffle, le rat pourra prospérer dans les affaires, mais devra éviter d'entamer une relation amoureuse. De même, une année du dragon pourra être professionnellement désastreuse pour le chien, mais sentimentalement excellente.

1999
ANNÉE DU LIÈVRE

UNE CALME ANNÉE YIN,
POUR RECHARGER SES BATTERIES ET SE REPOSER.

 Rat Une bonne année pour « se tenir à carreau ». Restez dans la foule et n'attirez pas l'attention. Ce n'est pas une année pour de nouveaux projets d'affaires. Surveillez attentivement vos démarches légales.

 Buffle Une bonne année pour travailler calmement et sans précipitation. Restez chez vous et travaillez au jardin. Une année idéale pour vous occuper de vos enfants.

 Tigre Reposez-vous : vous en avez bien besoin. Profitez de l'accalmie de cette année et élaborez des projets pour les années mouvementées à venir.

 Lièvre Une bonne année pour les affaires. C'est votre année : profitez-en ! Il ne pourra rien vous arriver de fâcheux, à condition de vous ouvrir à vos amis.

 Dragon Avec du recul, vous rirez bien fort en faisant le point sur cette année, qui vous semble sur le coup terriblement sérieuse et conflictuelle. Attendez, et vous en rirez.

 Serpent Peaufinez vos talents culinaires : c'est une année idéale pour recevoir vos amis. C'est le moment de se reposer et de prendre le soleil.

 Cheval Il n'y a rien que vous ne puissiez faire, cette année : travailler, rencontrer des gens, tomber amoureux. Réalisez de nouveaux projets, surtout ceux qui traînent depuis longtemps.

 Chèvre Les projecteurs sont sur vous, cette année. Tout le monde voudra être votre ami ou vous offrir du travail : profitez de cette popularité inattendue.

 Singe Si vous ne gagnez pas d'argent cette année, vous n'en gagnerez jamais. Spéculez, osez, prenez des risques : cela vous réussira.

 Coq Restez calme et récupérez. L'année dernière a été suffisamment éprouvante. Ne faites rien pour attirer l'attention, et tout ira bien.

 Chien Si vous envisagez de vous marier, c'est l'année ou jamais. Tombez amoureux, déclarez-vous et donnez votre consentement. Rien de plus facile, à condition de le faire cette année.

 Cochon Excusez-vous à l'avance, soyez humble et respectez la loi. Si vous suivez ce conseil, l'année sera excellente. Évitez les procès à tout prix : vous pourriez perdre.

RÉFÉREZ-VOUS AU TABLEAU DES PAGES 122-126 POUR DÉCOUVRIR VOTRE SIGNE ASTROLOGIQUE CHINOIS.

2000
ANNÉE DU DRAGON

UNE ANNÉE PLEINE DE DIVERTISSEMENT, DE FÊTES, D'ÉVÉNEMENTS SOCIAUX
ET DE BALS SOMPTUEUX : AMUSEZ-VOUS BIEN !

 Rat Il est temps de compenser les pertes subies l'année dernière. Vous êtes en forme et capable de prendre des risques en toute conscience.

 Buffle Vous pensez peut-être que c'est votre année et que vous pouvez vous reposer sur vos lauriers. Mais non, c'est l'année du dragon, et vous feriez bien de vous remettre au travail.

 Tigre Il est temps de récolter les bénéfices de tout le travail fourni ces dernières années. Détendez-vous et souriez : tous les feux sont sur vous !

 Lièvre C'est une année extrêmement mouvementée, et vous la trouverez épuisante et traître. Mieux vaut rester chez soi à soigner son jardin.

 Dragon Ouf ! C'est enfin votre année et l'on ne vous laissera pas une minute de répit, socialement, professionnellement et sentimentalement. Faites-vous plaisir, cela n'arrive que tous les 12 ans.

 Serpent Quoi qu'il se passe, vous retomberez toujours sur vos pieds. Au milieu des fêtes et de la gaieté environnante, vous prendrez l'avantage et réussirez.

 Cheval Vous finirez l'année très satisfait. Vous serez récompensé, adulé, caressé et complimenté. Que demander de plus ?

 Chèvre Une bonne année pour les affaires de cœur. Pendant que les autres profitent de l'année du dragon, séduisez, ensorcelez et fascinez. Vous vous amuserez bien, cette année.

 Singe Le dragon a besoin d'un admirateur : vous êtes la personne tout indiquée ! Une merveilleuse année en compagnie des dragons. Mais sans eux, vous passerez à côté de tout.

 Coq Un coq qui se marie l'année du dragon est béni des dieux. Un coq s'embarquant dans une liaison est maudit. Vous savez de quel côté vous êtes, n'est-ce pas ?

 Chien Restez chez vous et râlez dans votre coin. Ce n'est pas une bonne année pour vous. Ne boudez pas trop si l'on vous exclut de la fête.

 Cochon Vous aurez tendance à vous laisser aller. Votre question de l'année sera : « la vie n'est-elle donc que ça ? »

RÉFÉREZ-VOUS AU TABLEAU DES PAGES 122-126 POUR DÉCOUVRIR VOTRE SIGNE ASTROLOGIQUE CHINOIS.

2001
Année du Serpent

Une année vouée à l'étude, à la sagesse et à l'apprentissage.
Bonne année également pour ne rien faire de particulier.

 Rat Planifiez l'année prochaine. Consolidez l'année passée. Ne faites rien cette année. Si vous ne tenez plus en place, allez faire du bateau, mais surtout pas des affaires.

 Buffle Les querelles de famille auront beau jeu cette année. Ne vous mariez en aucune circonstance. Soyez gentil avec vos enfants et tâchez d'être patient avec eux.

 Tigre Partez en voyage, cette année. Quoi que vous fassiez, ne restez pas chez vous : cela vous attirerait des ennuis. Occupez-vous et allez à l'étranger.

 Lièvre Bonne année pour les lièvres. Vous aurez des idées étourdissantes, des inspirations merveilleuses. Une année idéale pour penser, écrire et philosopher.

 Dragon Quoi que vous en pensiez, la fête n'est pas terminée ! Mais elle est un peu plus saine et calme, cette année.

 Serpent Votre année. Mais prenez garde, ou l'on pourrait ravir votre cœur. Il n'y a pas pire sort pour un serpent !

 Cheval Vous serez tenté de suivre votre cœur : ne le faites pas. Toute liaison entamée par vous l'année du serpent est vouée à être de courte durée, douloureuse et dévastatrice.

 Chèvre Quelle belle année pour vous ! Vous pouvez bavarder à loisir. Vous serez impliqué dans mille situations, et aurez mille scandales à raconter ; mais aucun sur vous.

 Singe Tout comme les dragons, les serpents ont besoin d'admirateurs. Prenez-en de la graine et l'année vous sourira. Profitez-en bien.

 Coq Des problèmes familiaux s'annoncent pour cette année. On vous avait prévenu de ne pas vous éloigner. Et qu'avez-vous fait ? Vous êtes parti à l'aventure : c'est dans votre nature.

 Chien Cette année sera meilleure que la précédente. Vous voici requinqué et parfaitement heureux. Aucun événement majeur, toutefois.

 Cochon Cette année, concentrez-vous sur les affaires d'argent ou oubliez les affaires de cœur. L'année vous sera bénéfique financièrement, mais pas sentimentalement.

Référez-vous au tableau des pages 122-126 pour découvrir votre signe astrologique chinois.

2002
ANNÉE DU CHEVAL

UNE BONNE ANNÉE POUR TRAVAILLER EN ÉQUIPE.
LES SOLITAIRES ONT TOUT À CRAINDRE.

 Rat Vous êtes le solitaire par excellence et l'année ne vous sera guère propice. Vous pourriez bien tout perdre : soyez très, très prudent.

 Buffle Une bonne année pour le buffle : vous savez ramer à l'unisson et réussirez, surtout dans les affaires.

 Tigre Vous êtes indépendant et feriez bien de vous concentrer sur ce que vous savez faire et remettre les nouveaux projets à une autre année.

 Lièvre Vous vivez à votre guise et êtes solitaire à vos heures : tenez-vous à carreau ou l'on pourrait se méfier de vous. Restez chez vous autant que possible.

 Dragon Bien que vous n'ayez pas exactement l'esprit d'équipe, vous savez diriger votre monde, et vous serez adulé par tous ceux que vous rencontrerez.

 Serpent Une année sous le signe de l'émotion : beaucoup de grands sentiments et de larmes. Les serpents sont trop froids pour ce genre de démonstration et seront complètement désorientés.

 Cheval Chaque animal profite de l'année qui lui correspond, sauf le cheval. L'année pourrait bien être désastreuse, à moins que vous n'appreniez à coopérer et à collaborer.

 Chèvre Vous tirerez profit de cette année, comme toujours. Vous vous amuserez bien et rirez de toutes ces démonstrations émotionnelles. Vous êtes opportuniste.

 Singe Une bonne année pour changer de carrière. Vous réussirez à obtenir l'avancement et la promotion recherchés. Une année merveilleuse pour traiter toute sorte d'affaires.

 Coq Une année de changements, et, si cela ne vous effraie pas, une bonne année pour vous y adapter. Mais laissez les autres tout organiser.

 Chien Vous pensez que c'est une bonne année. Ça y ressemble, mais ce n'est pas encore ça. Faites plus confiance, et tout pourrait aller mieux.

 Cochon L'année ne sera pas bonne si vous cherchez l'amour. Mieux vaudrait passer l'année tout seul sur une île déserte et éviter les problèmes.

RÉFÉREZ-VOUS AU TABLEAU DES PAGES 122-126 POUR DÉCOUVRIR VOTRE SIGNE ASTROLOGIQUE CHINOIS.

2003
Année de la Chèvre

MAUVAISE ANNÉE FINANCIÈRE POUR TOUT LE MONDE. C'EST L'ANNÉE DES CRACKS BOURSIERS.
TOURNEZ-VOUS VERS L'ART ET OUBLIEZ L'ARGENT !

 Rat Vous êtes toujours en train d'essayer de vous remettre de l'année passée. Avec de l'effort, vous y arriverez. Prenez des vacances et partez à la pêche.

 Buffle Mauvaise année. Prenez des cours de yoga et apprenez à vous détendre. Dépensez un peu de votre argent et profitez-en.

 Tigre C'est le moment de repartir en voyage. Une année désastreuse pour vos finances. Cachez de l'argent sous votre matelas avant qu'on ne vienne vous le réclamer. Vous en aurez besoin.

 Lièvre Une année calme et pleine de satisfactions. Pendant que les autres s'échinent, vous en profitez bien et finirez l'année parfaitement détendu... et content de vous.

 Dragon Après ces deux dernières années, vous ne pouvez pas trop en demander. Ne gaspillez pas votre année à essayer de vous surpasser. Détendez-vous et souvenez-vous.

 Serpent Une année pleine de liaisons amoureuses. Évitez le chaos financier en ne sortant pas trop. Faites preuve de logique et ne vous fiez pas à votre intuition. Cela vaut mieux !

 Cheval Une bien meilleure année. Les choses sont encore instables, mais pour une fois, les défis ne vous feront pas peur.

 Chèvre C'est la meilleure année que vous puissiez avoir, alors profitez-en. Une année merveilleuse pendant laquelle tout, ou presque, ira bien.

 Singe Quelle bonne année pour vous ! Tous vos projets se réalisent. Qui risque gagne. Et l'on sait bien que le risque ne vous fait pas peur !

 Coq À la fin de l'année, vous regarderez autour de vous, les yeux écarquillés, en vous demandant pourquoi tout va si mal. Et si c'était votre faute ?

 Chien Pensez avant de parler. Réfléchissez avant d'agir. Ne brûlez pas les étapes. Soyez prudent. Soyez alerte et faites les choses très lentement : vous sortirez indemne de cette année.

 Cochon Enfin, les choses semblent s'améliorer. Même l'amour semble vous faire signe à l'horizon. À moins qu'il ne soit en train de se noyer...

RÉFÉREZ-VOUS AU TABLEAU DES PAGES 122-126 POUR DÉCOUVRIR VOTRE SIGNE ASTROLOGIQUE CHINOIS.

2004
ANNÉE DU SINGE

PERSONNE NE SAIT COMMENT FINIRA L'ANNÉE DU SINGE : EN CONFLITS, EN CHAOS,
EN RÉVOLUTION OU JUSTE EN GÉMISSEMENTS ? UNE ANNÉE À TOUT OSER.

 Rat Vous espériez peut-être vous remettre enfin aux affaires ? Eh bien, non. C'est l'année de l'amour, pour vous. Mariez-vous, c'est la seule chose à faire.

 Buffle Trop de bruit, trop de confusion. Restez chez vous et ne sortez pas de votre lit en cette année du singe. Le pauvre buffle est si facilement effrayé.

 Tigre C'est étrange, cette façon de croire que c'est votre année. Vous êtes tout excité à cette idée, mais c'est l'année du singe. Ne l'oubliez pas !

 Lièvre Mieux vaut attendre que cette année finisse avant de sortir de votre cachette. Ce n'est pas une bonne année pour vous : trop bruyante et trop éblouissante.

 Dragon La vanité sera punie en cette année du singe.
Soyez sur vos gardes !

 Serpent Vous savez bien que cela n'est pas pour de vrai, mais vous feriez bien de profiter de l'amusement général. Fréquentez des singes pour une franche rigolade !

 Cheval Assurez-vous que vous avez une bonne cachette à proximité. Sortez, mais vérifiez que la route est sûre. C'est une bonne année pour nos chevaux politiciens.

 Chèvre Vous commencerez et finirez l'année sur la même note : celle de l'irritation. Oh, comme vous enviez le singe, si frivole et insouciant !

 Singe Hourra ! C'est enfin votre année. Profitez de chaque seconde, et ne vous laissez pas accabler. Cette année, vous êtes le roi des fous !

 Coq Le monde est devenu fou, et qui, mieux que vous, pourrait le remettre dans le droit chemin ? Hélas, les autres ne sont pas toujours d'accord.

 Chien Répétez après moi : « Ce n'est pas mon année. Ce n'est pas mon année. » Si seulement vous pouviez y croire. Mais non, vous préférez vous ridiculiser. Soyez plus discret.

 Cochon Il est temps de sortir de votre terrier. Profitez de la folie de cette année, mais ne la prenez pas au sérieux. Pataugez, ébattez-vous, vivez, quoi !

RÉFÉREZ-VOUS AU TABLEAU DES PAGES 122-126 POUR DÉCOUVRIR VOTRE SIGNE ASTROLOGIQUE CHINOIS.

2005
ANNÉE DU COQ

APRÈS LA FOLIE DE L'ANNÉE PASSÉE, VOICI UNE ANNÉE SOLIDE, CONFORMISTE ET CONVENTIONNELLE, PLEINE DE RÈGLES, DE DISCIPLINE ET DE VALEURS SÛRES.

 Rat Vous passez souvent à côté de la réalité, et il en sera de même cette année. Continuez à gagner de l'argent et ne vous mêlez surtout pas de politique.

 Buffle Une année fantastique. Vous pouvez enfin souffler : l'ordre est restauré. Peu de surprises vous attendent, sauf celles qui sont déjà prévues.

 Tigre Mauvaise année pour vous autres rebelles. Il faudra vous mettre au pas et faire ce qu'on vous dit. C'est soit ça, soit vous rebeller en silence.

 Lièvre Une année d'irritation et de désarroi. Vous détestez l'ordre imposé par les autres et n'aimez pas les réunions. Pas de répit pour vous, cette année.

 Dragon Ne faites rien d'autre que soigner votre apparence. Passez l'année à poser, caracoler et apparaître en public. Mais surtout, ne faites rien et tout se passera bien.

 Serpent Mauvaise année. Vous êtes beaucoup trop paresseux et complaisant pour apprécier la devise de l'année : ordre et travail. Ne vous faites pas remarquer.

 Cheval Une année formidable, commençant pour vous sous le signe de la popularité et de la richesse. Quel retournement de situation !

 Chèvre Une année dont il faudra attendre patiemment la fin. N'étalez pas votre côté bohème : il n'y aucune place pour la décadence en cette année du coq.

 Singe Vous êtes trop occupé à vous remettre de votre année pour faire attention à toutes ces absurdités que le coq essaie d'imposer. Pour vous, la fête continue.

 Coq Enfin, on vous donne les rênes. Mais cela vous monte à la tête et vous en faites un peu trop. Mais l'année sera bonne si vous apprenez à vous modérer. Est-ce possible ?

 Chien Adhérez à la rébellion secrète du tigre et restez en lieu sûr. Taisez-vous et n'attirez pas l'attention sur vous, cette année.

 Cochon Une année étrangement bonne pour vous. Vos faibles efforts seront hautement récompensés. Cela vous paraît louche, mais profitez-en.

RÉFÉREZ-VOUS AU TABLEAU DES PAGES 122-126 POUR DÉCOUVRIR VOTRE SIGNE ASTROLOGIQUE CHINOIS.

2006
ANNÉE DU CHIEN

CERTAINS EXCÈS DE L'ANNÉE PASSÉE SERONT GOMMÉS, MAIS C'EST ENCORE UNE ANNÉE DE BONNE TENUE ET DE CONSIDÉRATION.

 Rat Continuez comme l'année dernière et accumulez, faites fructifier, thésaurisez et économisez à loisir. Un orage s'annonce à l'horizon.

 Buffle Vous avez beaucoup apprécié l'année passée, mais tout n'est plus rose et vous passerez l'année à vous plaindre et à regretter. Remettez-vous, les choses changent, vous savez !

 Tigre Les choses semblent s'améliorer. Vous pouvez sortir un peu plus pendant la journée, mais ne vous éloignez toutefois pas trop de votre tanière.

 Lièvre Ça pourrait être mieux, mais l'année se passera bien si on vous laisse tranquille. Une année pour regretter les erreurs passées.

 Dragon Une bonne année pour vous, à condition qu'on ne vous demande rien. Soignez votre aspect et restez en lieu sûr. Bien sûr, soyez toujours prêt à tout.

 Serpent Les changements vous inquiètent beaucoup, et vous avez certainement besoin d'en faire. Mais êtes-vous motivé ? Non. Ne vous sentez pas si coupable.

 Cheval Une année calme et agréable pour consolider et apprécier ce que vous avez. Mais pas pour vous lancer dans de nouveaux projets et spéculations. Appréciez, c'est tout.

 Chèvre Vous vous sentirez négligé et exclu. Ils ont tous l'air si préoccupé qu'ils n'ont pas de temps pour vous.

 Singe L'année s'annonce plutôt bien, pleine d'avantages et d'opportunités. Saisissez-les et fuyez ! Si vous ne gagnez pas d'argent en cette année du chien, qui le fera ?

 Coq Le moment est venu de payer pour l'année dernière, émotionnellement et financièrement. Vous attendrez impatiemment que l'année finisse.

 Chien C'est enfin votre année. Mais ne vous réjouissez pas trop : ça ne dure qu'un an et tout redevient normal. Débridez-vous au maximum.

 Cochon Une année de stabilité et de calme. Appréciez la paix avant que ne se forment les nuages. L'argent est abondant, mais l'amour rare.

RÉFÉREZ-VOUS AU TABLEAU DES PAGES 122-126 POUR DÉCOUVRIR VOTRE SIGNE ASTROLOGIQUE CHINOIS.

2007
Année du Cochon

UNE ANNÉE D'ABONDANCE, D'EXCÈS ET DE GÉNÉROSITÉ. UNE ANNÉE PLEINE DE BONNES RÉCOLTES. QUI EN PROFITERA ? ET QUI EN ABUSERA ?

 Rat Quelle bonne année pour vous ! Une année à partager et à apprécier. Vous devenez même généreux et donnez librement aux autres. Ça ne vous ressemble pas.

 Buffle Tout cela, c'est du travail. La récolte est peut-être abondante, mais il faut que quelqu'un la fasse. Et ça pourrait bien être vous, car vous n'avez rien d'autre à faire.

 Tigre Avec un peu de chance, c'est l'année à tout oser. Et cela vaudra le coup. Une année pour s'étirer et recommencer à prendre des risques.

 Lièvre Les affaires reprennent et l'argent circule. Ne souriez pas tant : vous savez que c'est éphémère. Profitez-en tant que ça dure.

 Dragon Vous ne serez jamais plus riche que cette année. Et c'est grâce à votre sens inné des affaires. Vous le savez fort bien.

 Serpent Peaufinez vos talents culinaires : c'est une année idéale pour recevoir vos amis. C'est le moment de se reposer et de prendre le soleil.

 Cheval C'est le moment de concrétiser vos souhaits. Tout ce dont vous avez rêvé, c'est l'année ou jamais de le réaliser. D'ailleurs, vous le méritez bien.

 Chèvre Tout le monde est riche, et vous aussi. Aux chèvres, l'argent ne brûle pas les doigts. Pourquoi souriez-vous donc ainsi ?

 Singe Le singe est de nouveau prêt à tout ravager et à semer la panique. C'est ce qu'il sait faire de mieux. Il s'amusera bien, cette année.

 Coq Une bonne année pour le coq, mais sans plus. Il vous faudra gagner durement chaque miette de votre repas, mais ce sont des miettes de gâteau, et non de pain rassis.

 Chien Tout semble si facile que vous n'y croyez pas. Et vous avez raison : c'est trop beau pour durer. Profitez du moment présent.

 Cochon Enfin, le cochon est heureux ! Vous avez l'argent et vous avez l'amour. Que demander de plus ? Ah, parce qu'il y a plus ? Ah bon. Mais quoi donc ? Oh, la lune...

RÉFÉREZ-VOUS AU TABLEAU DES PAGES 122-126 POUR DÉCOUVRIR VOTRE SIGNE ASTROLOGIQUE CHINOIS.

Années astrologiques chinoises

1900–2007

CHERCHEZ VOTRE DATE DE NAISSANCE DANS LE TABLEAU CI-DESSOUS
AFIN DE DÉCOUVRIR VOTRE SIGNE ASTROLOGIQUE CHINOIS.
LE TABLEAU INDIQUE ÉGALEMENT SI L'ANNÉE EST YIN OU YANG,
ET LEQUEL DES CINQ ÉLÉMENTS LA DOMINE.

Année	Commence le	Finit le	Aspect	Élément	Animal	
1900	31 janv. 1900	18 fév. 1901	Yang	Métal	Rat	
1901	19 fév. 1901	7 fév. 1902	Yin	Métal	Buffle	
1902	8 fév. 1902	28 janv. 1903	Yang	Eau	Tigre	
1903	29 janv. 1903	15 fév. 1904	Yin	Eau	Lièvre	
1904	16 fév. 1904	3 fév. 1905	Yang	Bois	Dragon	
1905	4 fév. 1905	24 janv. 1906	Yin	Bois	Serpent	
1906	25 janv. 1906	12 fév. 1907	Yang	Feu	Cheval	
1907	13 fév. 1907	1er fév. 1908	Yin	Feu	Chèvre	
1908	2 fév. 1908	21 janv. 1909	Yang	Terre	Singe	
1909	22 janv. 1909	9 fév. 1910	Yin	Terre	Coq	
1910	10 fév. 1910	29 janv. 1911	Yang	Métal	Chien	
1911	30 janv. 1911	17 fév. 1912	Yin	Métal	Cochon	
1912	18 fév. 1912	5 fév. 1913	Yang	Eau	Rat	
1913	6 fév. 1913	25 janv. 1914	Yin	Eau	Buffle	
1914	26 janv. 1914	13 fév. 1915	Yang	Bois	Tigre	
1915	14 fév. 1915	2 fév. 1916	Yin	Bois	Lièvre	

Année	Commence le	Finit le	Aspect	Élément	Animal	
1916	3 fév. 1916	22 janv. 1917	Yang	Feu	Dragon	
1917	23 janv. 1917	10 fév. 1918	Yin	Feu	Serpent	
1918	11 fév. 1918	31 janv. 1919	Yang	Terre	Cheval	
1919	1er fév. 1919	19 fév. 1920	Yin	Terre	Chèvre	
1920	20 fév. 1920	7 fév. 1921	Yang	Métal	Singe	
1921	8 fév. 1921	27 janv. 1922	Yin	Métal	Coq	
1922	28 janv. 1922	15 fév. 1923	Yang	Eau	Chien	
1923	16 fév. 1923	4 fév. 1924	Yin	Eau	Cochon	
1924	fév. 1924	janv. 1925	Yang	Bois	Rat	
1925	25 janv. 1925	12 fév. 1926	Yin	Bois	Buffle	
1926	13 fév. 1926	1er fév. 1927	Yang	Feu	Tigre	
1927	2 fév. 1927	22 janv. 1928	Yin	Feu	Lièvre	
1928	23 janv. 1928	9 fév. 1929	Yang	Terre	Dragon	
1929	10 fév. 1929	29 janv. 1930	Yin	Terre	Serpent	
1930	30 janv. 1930	16 fév. 1931	Yang	Métal	Cheval	
1931	17 fév. 1931	5 fév. 1932	Yin	Métal	Chèvre	
1932	6 fév. 1932	25 janv. 1933	Yang	Eau	Singe	
1933	26 janv. 1933	13 fév. 1934	Yin	Eau	Coq	
1934	14 fév. 1934	3 fév. 1935	Yang	Bois	Chien	
1935	4 fév. 1935	23 janv. 1936	Yin	Bois	Cochon	
1936	24 janv. 1936	10 fév. 1937	Yang	Feu	Rat	
1937	11 fév. 1937	30 janv. 1938	Yin	Feu	Buffle	
1938	31 janv. 1938	18 fév. 1939	Yang	Terre	Tigre	

Année	Commence le	Finit le	Aspect	Élément	Animal	
1939	19 fév. 1939	7 fév. 1940	Yin	Terre	Lièvre	
1940	8 fév. 1940	26 janv. 1941	Yang	Métal	Dragon	
1941	27 janv. 1941	14 fév. 1942	Yin	Métal	Serpent	
1942	15 fév. 1942	4 fév. 1943	Yang	Eau	Cheval	
1943	5 fév. 1943	24 janv. 1944	Yin	Eau	Chèvre	
1944	25 janv. 1944	12 fév. 1945	Yang	Bois	Singe	
1945	13 fév. 1945	1er fév. 1946	Yin	Bois	Coq	
1946	2 fév. 1946	21 janv. 1947	Yang	Feu	Chien	
1947	22 janv. 1947	9 fév. 1948	Yin	Feu	Cochon	
1948	10 fév. 1948	28 janv. 1949	Yang	Terre	Rat	
1949	29 janv. 1949	16 fév. 1950	Yin	Terre	Buffle	
1950	17 fév. 1950	5 fév. 1951	Yang	Métal	Tigre	
1951	6 fév. 1951	26 janv. 1952	Yin	Métal	Lièvre	
1952	27 janv. 1952	13 fév. 1953	Yang	Eau	Dragon	
1953	14 fév. 1953	2 fév. 1954	Yin	Eau	Serpent	
1954	3 fév. 1954	23 janv. 1955	Yang	Bois	Cheval	
1955	24 janv. 1955	11 fév. 1956	Yin	Bois	Chèvre	
1956	12 fév. 1956	30 janv. 1957	Yang	Feu	Singe	
1957	31 janv. 1957	17 fév. 1958	Yin	Feu	Coq	
1958	18 fév. 1958	7 fév. 1959	Yang	Terre	Chien	
1959	8 fév. 1959	27 janv. 1960	Yin	Terre	Cochon	
1960	28 janv. 1960	14 fév. 1961	Yang	Métal	Rat	
1961	15 fév. 1961	4 fév. 1962	Yin	Métal	Buffle	

Année	Commence le	Finit le	Aspect	Élément	Animal	
1962	5 fév. 1962	24 janv. 1963	Yang	Eau	Tigre	
1963	25 janv. 1963	12 fév. 1964	Yin	Eau	Lièvre	
1964	13 fév. 1964	1er fév. 1965	Yang	Bois	Dragon	
1965	2 fév. 1965	20 janv. 1966	Yin	Bois	Serpent	
1966	21 janv. 1966	8 fév. 1967	Yang	Feu	Cheval	
1967	9 fév. 1967	29 janv. 1968	Yin	Feu	Chèvre	
1968	30 janv. 1968	16 fév. 1969	Yang	Terre	Singe	
1969	17 fév. 1969	5 fév. 1970	Yin	Terre	Coq	
1970	6 fév. 1970	26 janv. 1971	Yang	Métal	Chien	
1971	27 janv. 1971	15 janv. 1972	Yin	Métal	Cochon	
1972	16 janv. 1972	2 fév. 1973	Yang	Eau	Rat	
1973	3 fév. 1973	22 janv. 1974	Yin	Eau	Buffle	
1974	23 janv. 1974	10 fév. 1975	Yang	Bois	Tigre	
1975	11 fév. 1975	30 janv. 1976	Yin	Bois	Lièvre	
1976	31 janv. 1976	17 fév. 1977	Yang	Feu	Dragon	
1977	18 fév. 1977	6 fév. 1978	Yin	Feu	Serpent	
1978	7 fév. 1978	27 janv. 1979	Yang	Terre	Cheval	
1979	28 janv. 1979	15 fév. 1980	Yin	Terre	Chèvre	
1980	16 fév. 1980	4 fév. 1981	Yang	Métal	Singe	
1981	5 fév. 1981	24 janv. 1982	Yin	Métal	Coq	
1982	25 janv. 1982	12 fév. 1983	Yang	Eau	Chien	
1983	13 fév. 1983	1er fév. 1984	Yin	Eau	Cochon	
1984	2 fév. 1984	19 fév. 1985	Yang	Bois	Rat	

Année	Commence le	Finit le	Aspect	Élément	Animal	
1985	20 fév. 1985	8 fév. 1986	Yin	Bois	Buffle	
1986	9 fév. 1986	28 janv. 1987	Yang	Feu	Tigre	
1987	29 janv. 1987	16 fév. 1988	Yin	Feu	Lièvre	
1988	17 fév. 1988	5 fév. 1989	Yang	Terre	Dragon	
1989	6 fév. 1989	26 janv. 1990	Yin	Terre	Serpent	
1990	27 janv. 1990	14 fév. 1991	Yang	Métal	Cheval	
1991	15 fév. 1991	3 fév. 1992	Yin	Métal	Chèvre	
1992	4 fév. 1992	22 janv. 1993	Yang	Eau	Singe	
1993	23 janv. 1993	9 fév. 1994	Yin	Eau	Coq	
1994	10 fév. 1994	30 janv. 1995	Yang	Bois	Chien	
1995	31 janv. 1995	18 fév. 1996	Yin	Bois	Cochon	
1996	19 fév. 1996	7 fév. 1997	Yang	Feu	Rat	
1997	8 fév. 1997	27 janv. 1998	Yin	Feu	Buffle	
1998	28 janv. 1998	15 fév. 1999	Yang	Terre	Tigre	
1999	16 fév. 1999	4 fév. 2000	Yin	Terre	Lièvre	
2000	5 fév. 2000	23 janv. 2001	Yang	Métal	Dragon	
2001	24 janv. 2001	11 fév. 2002	Yin	Métal	Serpent	
2002	12 fév. 2002	31 janv. 2003	Yang	Eau	Cheval	
2003	1er fév. 2003	21 janv. 2004	Yin	Eau	Chèvre	
2004	22 janv. 2004	8 fév. 2005	Yang	Bois	Singe	
2005	9 fév. 2005	28 janv. 2006	Yin	Bois	Coq	
2006	29 janv. 2006	17 fév. 2007	Yang	Feu	Chien	
2007	18 fév. 2007	6 fév. 2008	Yin	Feu	Cochon	

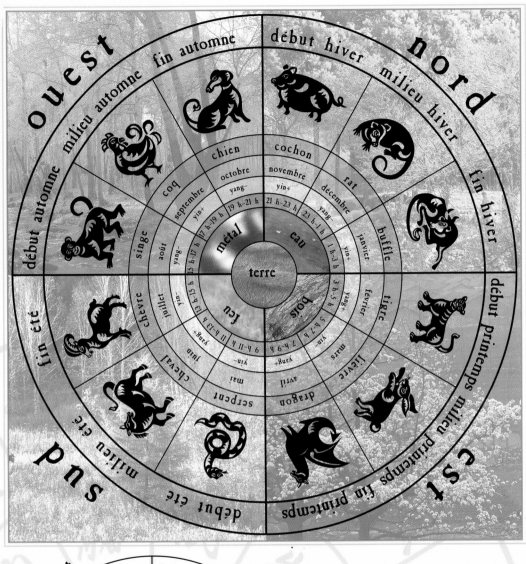

Les tableaux récapitulatifs de cette page donnent les principales informations sur chaque animal : sa direction, sa saison, son mois lunaire, son aspect yin ou yang, ses heures et son élément. Référez-vous aux pages 10-15 pour plus de détails.

BIBLIOGRAPHIE

L'Astrologie chinoise, Eulalie Steens, éditions du Rocher

L'Astrologie chinoise, Suzanne White, Sand

Le Grand livre des horoscopes chinois, Theodora Lau, Le Jour

Horoscopes chinois, Paula Delsol, Mercure de France

Pa-Koua, Yi-King, Yin-Yang, Peretti-Brizi, Servranx

Le Nouveau guide de l'astrologie chinoise, Ori Lin, De Vecchi

Le Feng Shui, Richard Craze, Manise

Kit Feng Shui (coffret), Man-Ho Kwok, Solar

Astrologie chinoise traditionnelle, Tammy Bailis, Mortagne

Cours d'astrologie chinoise, Tuan, De Vecchi

Astrologie chinoise authentique, Nguyen Ngoc Rao, Dauphin

Le Feng Shui à la maison, collectif, Philippe Auzou

Les Secrets de l'astrologie chinoise ou le parfait bonheur, André-H Le moine, éditions de l'Homme

Le Livre du Feng Shui, Chuen Lam Kam, Courrier du Livre

Astrologie combinée chinoise et orientale, Nguyen Ngoc Rao, Marabout

L'Astrologie chinoise, Catherine Aubier, Solar

CRÉDITS PHOTOGRAPHIQUES

L'éditeur aimerait remercier les personnes et sociétés suivantes de lui avoir fourni les photographies présentes dans l'ouvrage :

e.t. archive ; Image Bank, Londres (les photographes d'Image Bank sont : Sacha Ajbeszyc, B. Bokelberg, W. Bokelberg. B. Busco, Jeff Cadge, Flip Chalfant, Jin Chen, Dann Coffey, Stuart Dee, David de Lossy, Anthony Edwards, Brit Erlanson, Jay Freis, Peter Hendrie, Frédéric Jorez, Carl Kohen, Gérard Lemaitre, Romilly Lockyer, Miguel, Piecework Productions, J.-P. Pieuchot, Rick Rickman, Chris Rogers, Marc Romanelli, William Sallaz, Paul Simcock, Jeff Smith, Anselm Spring, Eliane Sulle, David Vance, Li Min Vang, Jaime Villaseca, Miao Wang, Yellow Dog Productions, Li Qun Xu, Xian Yang Zheng) ; Pictor International, Londres ; Anne Ronan Picture Library ; Tony Stone Images (les photographes de Tony Stone sont : Rosemary Calvert, Steven Peters, Michael Rosenfeld, Vince Streano, Chris Windsor).

Toutes les autres photographies et illustrations sont la propriété de Quarto.

L'éditeur aimerait également remercier Frankie Tan pour la calligraphie des cinq éléments dessinés par 14.

REMERCIEMENTS DE L'AUTEUR

Merci à Roni Jay pour ses précieux talents de relectrice.
Ce livre est dédié à Hagar, Luke, Rufus et Jack.